Pour William
J. S.

Pour Nina et Neil
T. W.

Deuxième édition Octobre 2001
Traduction de Nelle Hainaut-Baertsoen

Titre original : Sssh !

ISBN 2-87142-209-5
D/1999/3712/40

Imprimé en Belgique

Silence, Père Noël!

Julie Sykes

Tim Warnes

Mijade

Le soir de Noël,
le Père Noël est toujours en pleine forme.
Cette année encore, il est de très bonne humeur.
«Vive le vent, vive le vent, vive le vent d'hiver…»
chante-t-il à tue-tête en chargeant son traîneau de jouets.
«Silence, Père Noël !» chuchote un des rennes.
«Vous allez réveiller les enfants.»
«Je ferai attention», dit le Père Noël,
«mais si on ne peut même plus chanter…»

Les enfants sont endormis. L'attelage file dans le ciel étoilé.

Il atteint bientôt la première maison
de la tournée du Père Noël.

Le traîneau atterrit en douceur.
Le Père Noël entonne joyeusement :
«Petit Papa Noël, quand tu descendras du ciel…»
Un chat l'accueille en ronronnant.
«Joyeux Noël, minet !»
«Silence, Père Noël !» chuchote le chat.
«Vous allez réveiller les enfants.»
«Bien sûr que non !» promet le Père Noël,
et il saute du traîneau.

Son grand sac sur l'épaule,
il traverse le jardin sur la pointe des pieds.
Tout le monde dort,
on n'entend pas un bruit.

Il y a du verglas sur le sentier. «OH OH OH OUH AAAAH !»
Le Père Noël dérape et s'étale de tout son long.

«Silence, Père Noël !» chuchote le bonhomme de neige.
«Vous allez réveiller les enfants.»
«Oh pardon !» souffle le Père Noël en se relevant.
«Décidément, j'adore Noël !»
Et d'un bond, il est dans la maison.

Il sort les cadeaux de son sac
et les dépose au pied du sapin.

Un diable sort brusquement de sa boîte.
Le Père Noël sursaute.

Puis il éclate de rire et bat des mains.
«AH AH AH AH AH !»
«Silence, Père Noël !» chuchote le chien
qui le regardait faire.
«Vous allez réveiller les enfants.»

«Ah oui, c'est vrai, les enfants !»
opine le Père Noël.
Il met un doigt sur sa bouche
et traverse la pièce à pas de loup.

Une guirlande traîne sur le sol.
Le Père Noël ne l'a pas vue.
Il perd l'équilibre,
pose le pied sur un patin à roulettes,
glisse gracieusement sur toute la longueur du tapis…
et vient s'écrouler BA DA BOM !
la tête dans la cheminée.
Heureusement, le feu n'est pas allumé.

«A…A…ATCHOUM !» fait le Père Noël,
en se frottant le bout du nez.
«Silence, Père Noël !» dit d'une voix ensommeillée
un chaton couché dans le fauteuil.
«Vous allez réveiller les enfants.»
«Non, non !» proteste le Père Noël,
et il se redresse péniblement.

Le Père Noël remonte sur son traîneau.
«C'est que j'ai encore pas mal de visites à faire cette nuit !» dit-il.
Enfin, le dernier sac est vide.

Le Père Noël se frotte les yeux. «A la maison !» ordonne-t-il aux rennes.
Et les rennes s'élancent dans le ciel en faisant tinter leurs clochettes.

«HO ! HOOO !» crie le Père Noël.
«Nous sommes arrivés.
Ouf ! Je ne suis pas fâché de rentrer.
Silence, Père Noël !» ajoute-t-il dans sa barbe.
«Tu vas réveiller les enfants.»

Quelle nuit épuisante ! Le Père Noël ne tient plus debout.
Il enfile ses pantoufles, se prépare un bol de chocolat chaud,
s'installe dans son fauteuil et tombe profondément endormi.

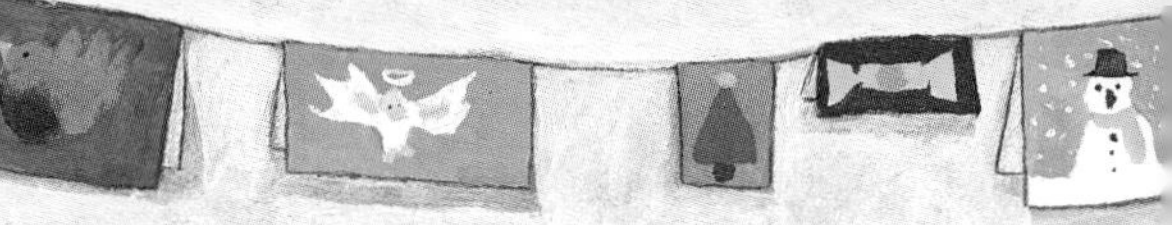

«RRRRRRRR !»
Le Père Noël ronfle.
Les rennes attaquent leur souper :
«MIAM ! GNOP ! CROUNCH !»

«Silence !»
couine alors une toute petite voix.
«Vous allez réveiller le Père Noël !»